DK 아틀라스 시리즈

Activity Book 1

Coloring & Pattern

공룡 대공원

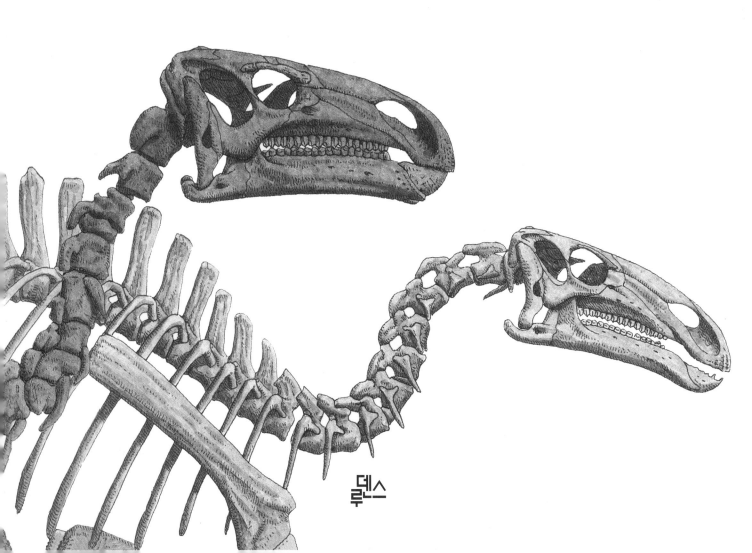

덴스

티라노사우루스

가장 거대했던 육식 공룡 티라노사우루스는
무시무시한 사냥꾼이었다. 하지만 공룡이 멸종되어 갈 때는
이 공룡의 굉장한 힘과 거대한 체구 어느 것도 소용없었다.

티라노사우루스를 색칠해 보세요.
티라노사우루스의 각 부분을 잘 살펴보고, 색칠하면서 어느 부분인지 알아 보아요.

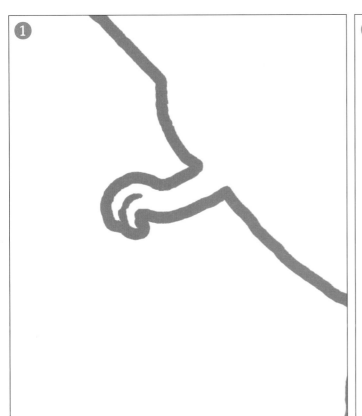

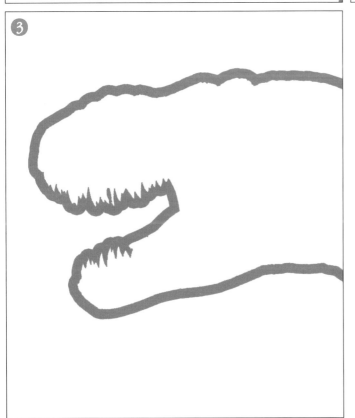

스테고사우루스

길이 7.5m, 무게 2톤의 스테고사우루스는 지금까지 알려진 가장 큰 등판 공룡이다. 화석은 북아메리카에서 발견되었는데, 가장 큰 등판의 크기는 75cm나 되었다. 투오지앙고사우루스처럼 꼬리 위에 있는 두 쌍의 뾰족하고 큰 돌기를 휘둘러 공격자들을 물리쳤다.

스테고사우루스를 색칠해 보세요.
스테고사우루스의 각 부분을 잘 살펴보고, 색칠하면서 어느 부분인지 알아 보아요.

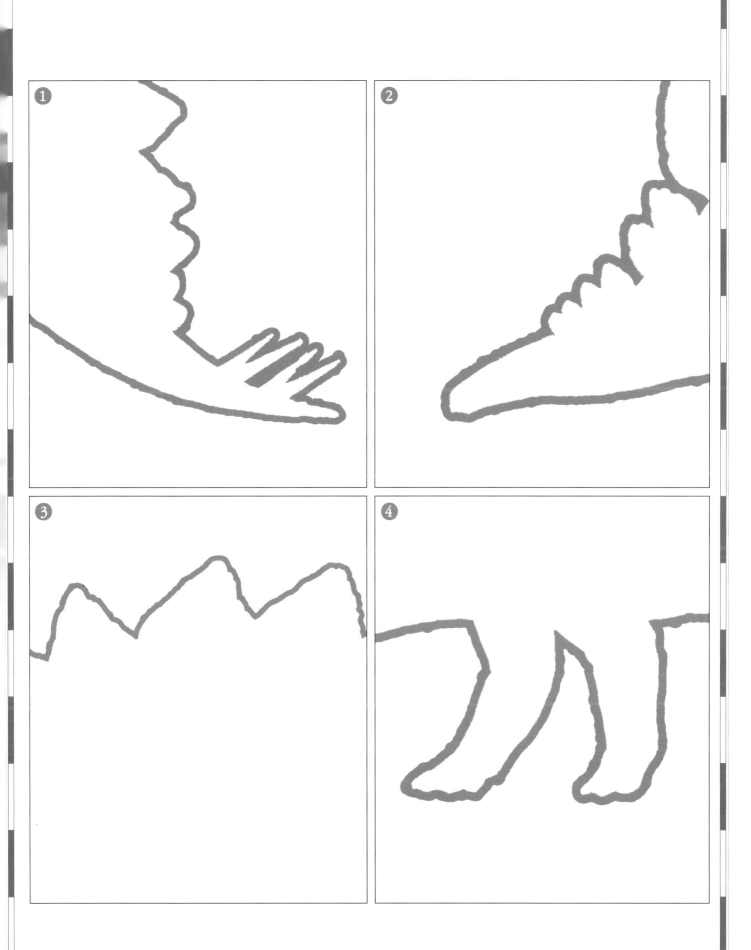

초식 공룡

냉혈 동물인 파충류는 햇볕을 받아 체온을 높이거나, 더울 때는 체온을 낮춰야 한다. 투오지앙고사우루스의 등판들은 이상적인 태양열 판이었다. 판면이 해 쪽을 향하게 하여 판 속을 흐르는 피가 열을 받아 몸의 다른 부분으로 퍼지게 했다. 또 이 판들은 바람이 부는 곳이나 그늘에서는 열을 밖으로 내보내 체온을 낮췄다.

초식 공룡의 뼈를 그려보세요.
투오지앙고사우루스의 각 부분을 잘 살펴보고, 뼈를 그리면서 어느 부분인지
알아 보아요.

투오지앙고사우루스

육식 공룡

육식 공룡들은 근육질의 몸통과 튼튼하고 힘센 다리를 가지고 있었다. 날카로운 이와 발톱으로 먹이를 공격하거나 자신을 방어했다. 약 1억 5,000만~1억 4,000만 년 전에 살았던 알로사우루스가 가장 일반적인 육식 공룡이다. 60마리도 더 되는 알로사우루스의 뼈가 미국 유타 주의 한 채석장에서 발견되었다. 이 공룡은 11m 까지 자랐고, 체중은 2톤쯤 되었다. 이렇게 큰 몸집 때문에 멀리 빨리 움직이지는 못했다.

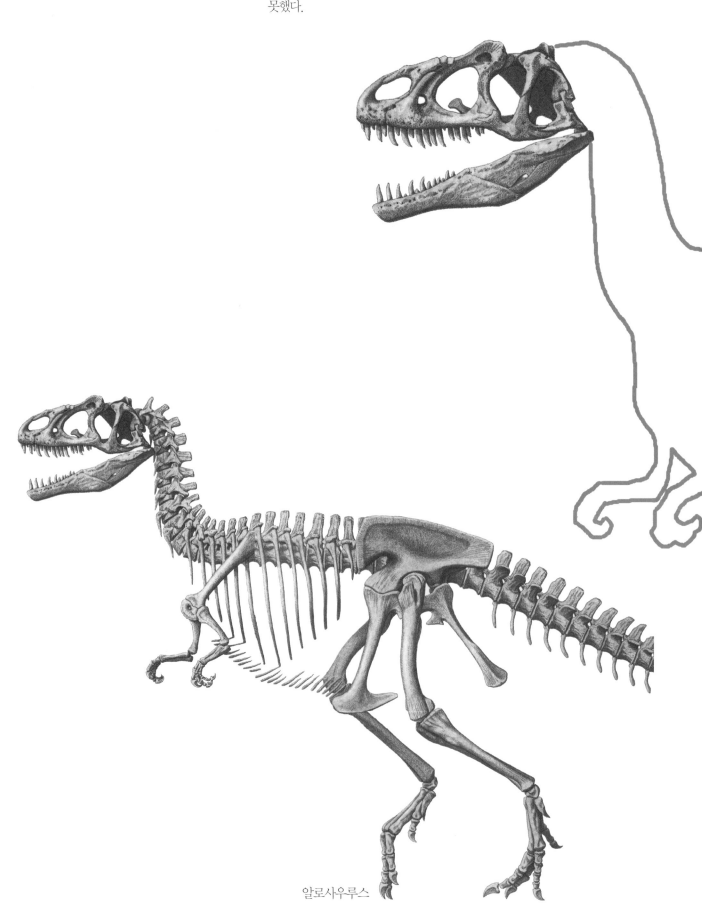

알로사우루스

육식 공룡의 뼈를 그려보세요.
알로사우루스의 각 부분을 잘 살펴보고, 뼈를 그리면서 어느 부분인지 알아 보아요.

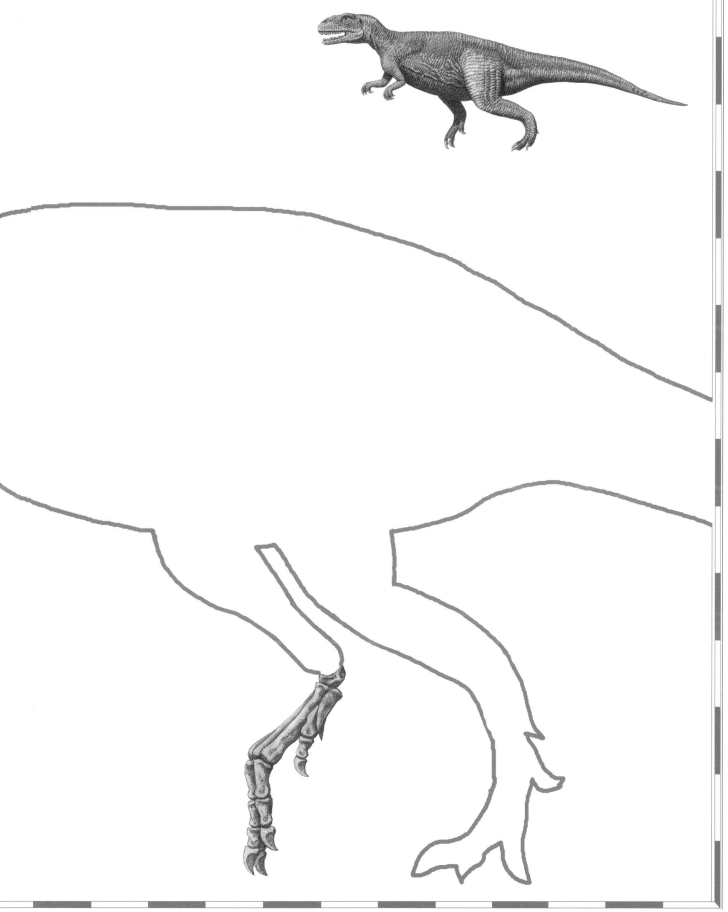

트리케라톱스

코뿔소처럼 머리에 뿔이 달린 트리케라톱스는 지구 상의 마지막 공룡에 속한다. 코 위와 눈 위에 뿔이 나 있고, 머리 뒷부분에 골질로 된 프릴이 있다. 육중한 몸통과 힘센 다리로 적에 맞서서 굳세게 버틸 수 있었다.

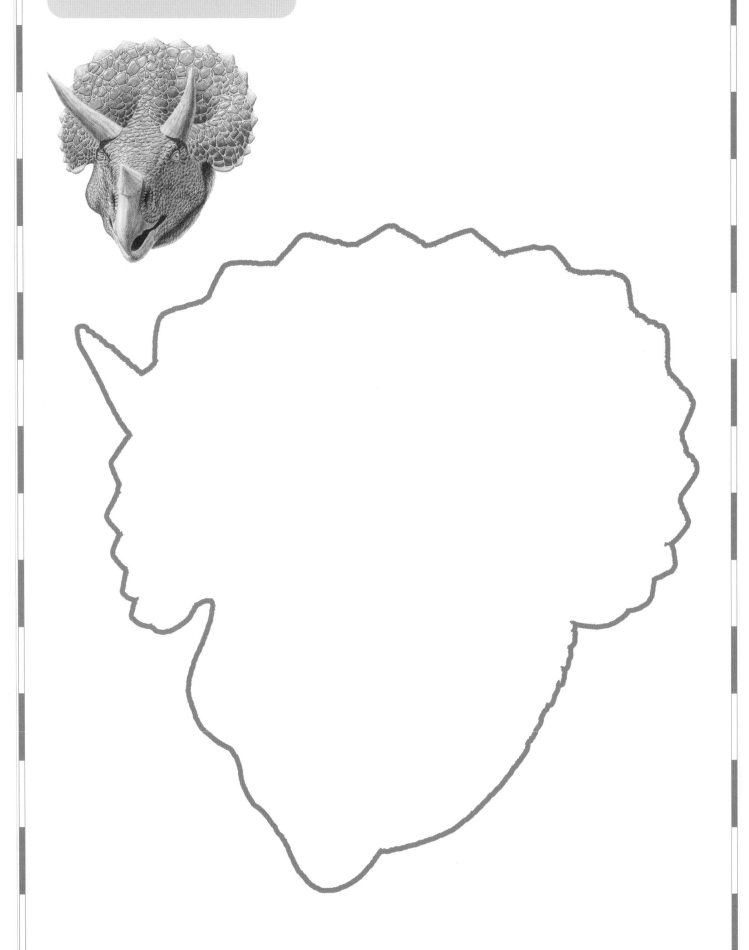

공룡 얼굴을 색칠해 보세요.
공룡 얼굴을 잘 살펴보고, 색칠하면서 얼굴의 특징을 외워 보아요.

스티라코사우루스

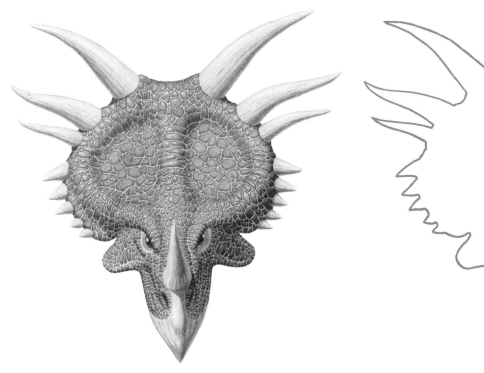

카스모사우루스

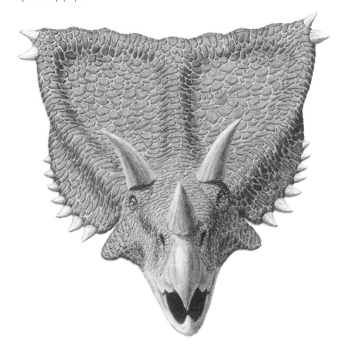

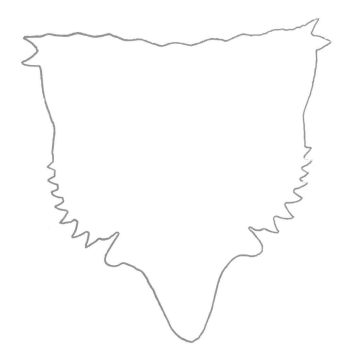

유오플로케팔루스

유오플로케팔루스는 레드 디어 강 공원에서 발견되는 가장 흔한 갑옷 공룡이다. 갑옷 공룡은 골질로 된 갑옷으로 몸을 싸고, 등에는 뿔처럼 생긴 것이 솟아 있다. 무게 2톤, 길이 6m정도이며, 튼튼한 꼬리 끝에 있는 곤봉 같은 뼈를 휘둘러 적을 물리쳤다.

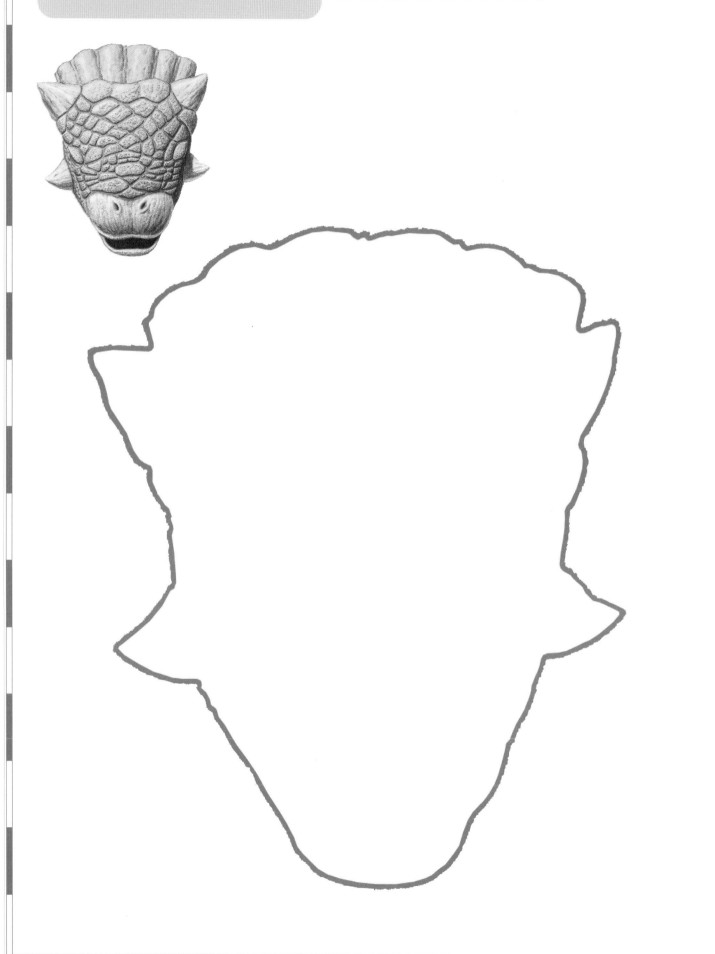

공룡 얼굴을 색칠해 보세요.
공룡 얼굴을 잘 살펴보고, 색칠하면서 얼굴의 특징을 외워 보아요.

안킬로사우루스

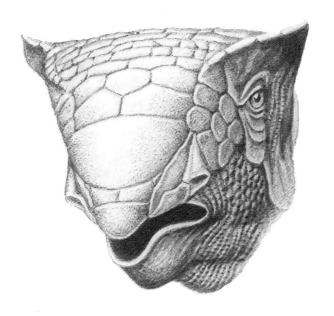

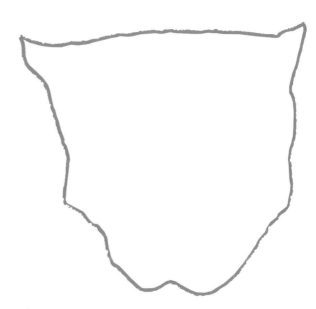

코리토사우루스

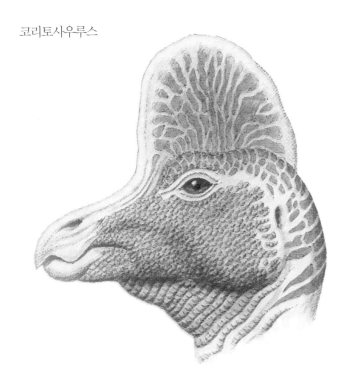

악어알

악어는 공룡처럼 알을 낳는 파충류이다.
모래 속이나 썩은 식물로 둥지를 만들어 알을 낳고 둥지 가까이에
머문다. 어린 악어는 스스로 알을 깨기 쉽게 주둥이 위에 조그만
돌기를 가지고 있다. 새끼가 태어나면 어미는 모래를 치워 주고,
새끼들이 근처의 물까지 기어가는 동안 망을 본다.

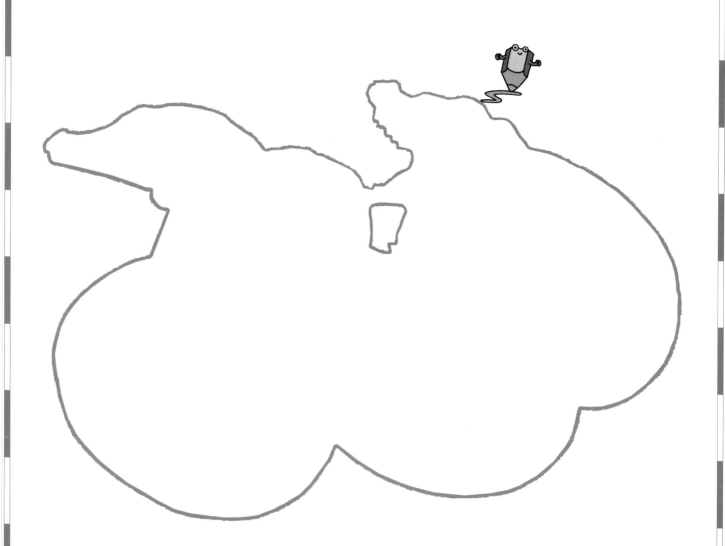

무타부라사우루스

오스트레일리아에서 발견된 가장 완전한 모습의 공룡은 무타부라사우루스이다. 이구아노돈과 같은 종류이며, 길이가 약 7m이다. 입 앞쪽에 부리가 있고, 이상하게 솟은 코를 가졌다.

살타사우루스

살타사우루스는 용각 아목 공룡이지만, 등의 두꺼운 피부
위에 골질 판들이 있다. 이 공룡이 발견되기 전까지는
안킬로사우루스를 유일한 갑옷 공룡이라고 생각했다.

카마라사우루스

단단한 뼈로 이루어진 뼈대는 부드러운 몸을
지탱한다. 카마라사우루스만큼 큰 공룡의 뼈는
날렵한 움직임보다 몸을 튼튼하게 지탱하는
역할이 더 크다.

스피노사우루스

약 1억 년 전에 살았던 북부 아프리카의 스피노사우루스는 몸집이 큰 육식 공룡이었다. 다른 육식 공룡들과는 달리 등을 따라 뼈로 된 한 줄의 거대한 등뼈를 가지고 있었다. 이 거대한 돛으로 태양열을 받아 들이 거나 내보내 체온을 조절했다.

시조새는 가장 기이한 화석 중 하나이다. 다섯 개의 표본만이 알려졌는데, 모두 독일의 같은 석회암 지역에서 발견되었다. 암수의 겸이 매우 고와서 깃털 윤곽까지도 남아 있다. 시조새는 새의 깃털과 조기 파충류의 지아, 발톱, 꼬리를 가졌다.

시조새

얼굴과 꼬리

얼굴을 보고 그 공룡의 꼬리를 찾아 줄로 이어 보세요.

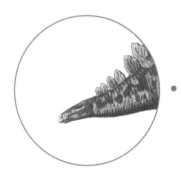

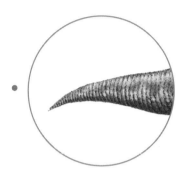

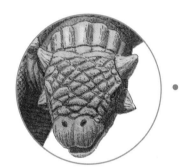

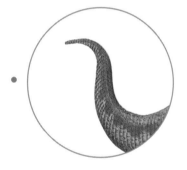

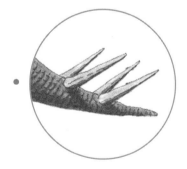

퍼즐 맞추기

다음 퍼즐 조각을 보고 어떤 공룡이 될지 생각해 보고 답을 써 보세요.

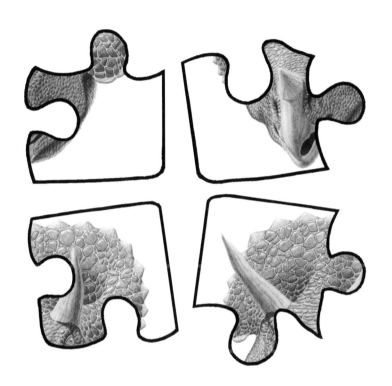

답:

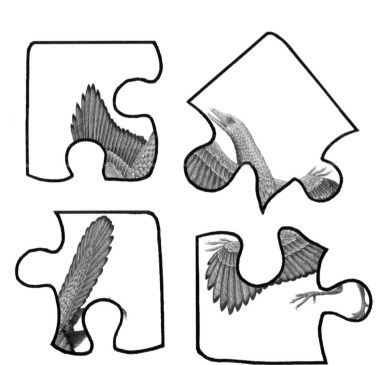

답:

공룡 화석 발굴

화석이란 공룡의 흔적이 땅속에 묻혀 그대로 보존되어 남아 있는 것을 말합니다.
화석 발굴이 이루어지는 과정을 생각해 보고 순서를 써 보세요.

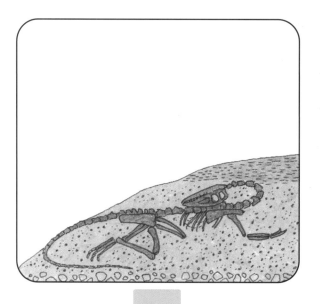

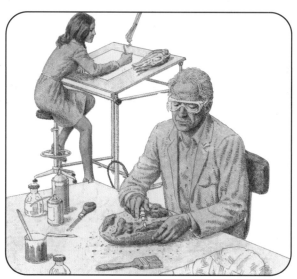

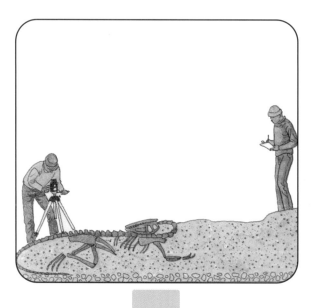

다양한 공룡들

다음 지도를 보고 질문의 답을 찾아 빈칸에 써 보세요.

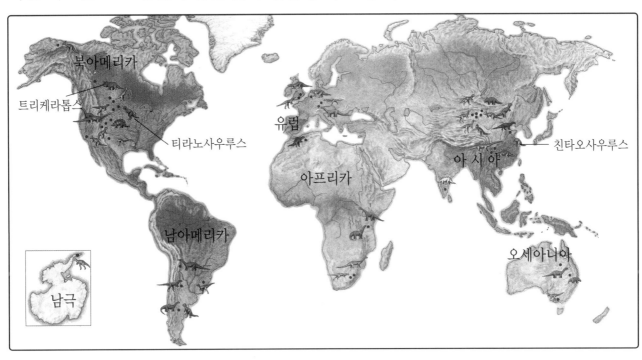

• 공룡시대를 어떻게 나눌까요?

....

• 육식 공룡 중 가장 무시무시한 사냥꾼은?

....

• '오리부리' 라는 별명이 붙은 공룡은?

....

• 우리나라에서 발견된 공룡은?

....

20쪽

얼굴과 꼬리

얼굴을 보고 그 공룡의 꼬리를 찾아 줄로 이어 보세요.

21쪽

퍼즐 맞추기

다음 퍼즐 조각을 보고 어떤 공룡이 될지 생각해 보고 답을 써 보세요.

답: 트리케라톱스

답: 시조새

22쪽

공룡 화석 발굴

화석이란 공룡의 흔적이 땅속에 묻혀 그대로 보존되어 남아 있는 것을 말합니다.
화석 발굴이 이루어지는 과정을 생각해 보고 순서를 써 보세요.

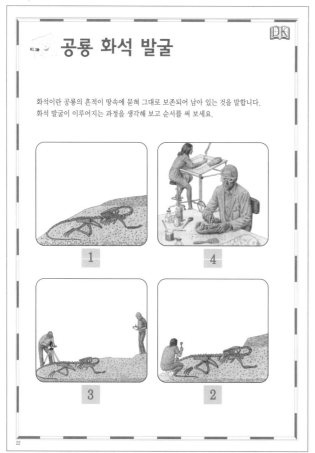

23쪽

다양한 공룡들

다음 지도를 보고 질문의 답을 찾아 빈칸에 써 보세요.

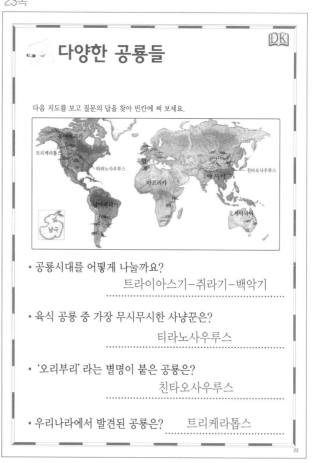

• 공룡시대를 어떻게 나눌까요?
  트라이아스기–쥐라기–백악기

• 육식 공룡 중 가장 무시무시한 사냥꾼은?
  티라노사우루스

• '오리부리' 라는 별명이 붙은 공룡은?
  친타오사우루스

• 우리나라에서 발견된 공룡은?   트리케라톱스